This edition published by Parragon Books Ltd in 2013 and distributed by:
Edición publicada por Parragon Books Ltd en 2013 y distribuida por:

Parragon Inc.
440 Park Avenue South,
13th Floor
Nueva York, NY 10016, USA
www.parragon.com

Traducción del inglés: Rosa Plana Castillón para LocTeam, Barcelona

ISBN 978-1-4723-3598-2

Printed in China
Impreso en China

Count to 10 with a mouse

Cuenta hasta 10 con el ratón

PaRragon

Bath • New York • Singapore • Hong Kong • Cologne • Delhi
Melbourne • Amsterdam • Johannesburg • Shenzhen

There was a little **mouse**

Había una vez un **ratoncito**

no **bigger**
than a
mole,

who lived in a **round** place
that he called a **hole.**

pequeño
como un
topito,

que se pasaba el **día** entero

metido en un **agujero.**

He tried
to count
his nose,

Trató de
contarse
los
bigotes

he tried to **count** his **toes.**

He said,
"I'd better
learn to
count,"
and so the
story goes.

y también
los **dedos**
de los
pies.

«¡Qué
curiosos son
los números!
¿Y si aprendo
del 1 al 10?»

1 mouse
1 ratón

One mouse, took one

El ratón, encontró un

look,
at
one
book,
that had one hole
to run through.

libro
misterioso
que tenía un agujero
desde un lado
hasta el otro.

2 holes
2 agujeros

Then the mouse ran through the book, the mouse ran through the book.

Así, el ratón recorrió el libro de cabo a rabo, y de rabo a cabo.

He ran onto the next page,
to take a little look.

A la página siguiente saltó
y por el agujero se asomó.

3 fish
3 peces

And there, what does he see?
And there, what does he see?

Three little fishes

Y allí, ¿qué es lo que vio?
Y allí, ¿qué es lo que vio?

Tres pececitos,

Swimming in the sea.

Then the mouse ran through the book,
the mouse ran through the book.
He ran onto the next page
to take a little look.

uno de cada color.

Así, el ratón recorrió el libro de cabo a rabo,
y de rabo a cabo.
A la página siguiente saltó
y por el agujero se asomó.

4 monkeys
4 monos

And there, what does he see?
And there, what does he see?

Four little monkeys swinging in a tree.

Y aquí ¿qué es lo que vio?
Y aquí ¿qué es lo que vio?

A cuatro monitos, a cual más juguetón.

Then the mouse ran through the book,
the mouse ran through the book.
He ran onto the next page
to take a little look.

Así, el ratón recorrió el libro de cabo a rabo,
y de rabo a cabo.
A la página siguiente saltó
y por el agujero se asomó.

5 butterflies
5 mariposas

And here, great sakes alive!
And here, great sakes alive!

Here he found five butterflies,
one, two, three, four, five.

Y aquí casi pega un brinco.
Y aquí casi pega un brinco.

Encontró cinco mariposas:
una, dos, tres, cuatro y cinco.

Then the mouse ran through the book,
the mouse ran through the book.
He ran onto the next page
to take a little look.

Así, el ratón recorrió el libro de cabo a rabo,
y de rabo a cabo.
A la página siguiente saltó
y por el agujero se asomó.

6 pussycats
6 gatitos

And in among the mix.
And in among the mix.

SiX little pussycats
are all in a fix.

¿Y aquí quién está jugando?
¿Y aquí quién está jugando?

Seis gatos traviesos
con un ovillo enredado.

So the mouse ran through the book,
the mouse ran through the book.
He ran onto the next page
to take a little look.

Así, el ratón recorrió el libro de cabo a rabo,
y de rabo a cabo.
A la página siguiente saltó
y por el agujero se asomó.

7 apples
7 manzanas

And there, what does he see?
And there, what does he see?

Seven little apples

¿Y qué vio con muchas ganas?
¿Y qué vio con muchas ganas?

Que de un gran árbol

upon an apple tree.

Then the mouse ran through the book,
the mouse ran through the book.
He ran onto the next page
to take a little look.

colgaban siete manzanas.

Así, el ratón recorrió el libro de cabo a rabo,
y de rabo a cabo.
A la página siguiente saltó
y por el agujero se asomó.

8 crows
8 cuervos

And here is what he saw.
And here is what he saw.

caw!

Eight shiny black crows

¿Y qué habrá por acá?
¿Y qué habrá por acá?

Ocho negros cuervos

learning how to caw.

caw! caw!

Then the mouse ran through the book,
the mouse ran through the book.
He ran onto the next page
to take a little look.

icra! icra!

aprendiendo a graznar.

Así, el ratón recorrió el libro de cabo a rabo,
y de rabo a cabo.
A la página siguiente saltó
y por el agujero se asomó.

9 o'clock
Las 9 en punto

Here everything is fine,
The clock has just struck nine.
Nine o'clock is nine o'clock
and everything is fine.

O Hickory Dickory Dock,
the mouse ran **up** the clock.

Eran las nueve en punto
y pensó el ratoncito
que aún le daba tiempo
de ir a dar un paseíto.

y subió por el reloj,
tic, toc, tic, toc

Then Dockery Hickory Dock, the Mouse ran **down** the clock.

Then the mouse ran through the book,
the mouse ran through the book.
He ran onto the next page
to take a little look.

y bajó por el reloj.
toc, tic, **toc**, tic

Así, el ratón recorrió el libro de cabo a rabo,
y de rabo a cabo.
A la página siguiente saltó
y por el agujero se asomó.

1 2 3 4 5

And when he got to ten.

And when he got to ten.

Y cuando llegó al diez...

Y cuando llegó al diez...

He turned **around** the other way and ran **right back** again.

Se dio media **vuelta** ¡y volvió a empezar **otra vez!**